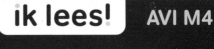

Drie keer feest

Jolanda Horsten

met tekeningen van Daniëlle Schothorst

Feest

'Maandag ben ik jarig,' zegt juf Lin.
'Dus dan vieren we feest.'
'Dan ben ik ook jarig!' roept Bas.
'Dan is het twee keer feest,' zegt de juf.
'Nee, drie keer!' roept Juul.
'Want dan krijg ik een hond.
Die is dan groot genoeg
om bij ons te wonen.'
Juf Lin lacht.
'Drie keer feest,' zegt ze.
'Dat moeten we **groot** vieren.
Maar hoe?

Het is al over een week.
'Wie heeft er een plan?'
'Koekjes bakken,' zegt Els.
'Zingen,' zegt Bas.
'Dansen.'
'Snoepen.'
'Slingers.'
De hele klas roept.
'Stop!' roept juf Lin.
'Ik weet wat we gaan doen.
We doen gewoon alles.
We bakken koekjes.
We zingen.
We dansen.
We snoepen.
Er komen slingers.
En we krijgen er nog geld voor ook.'

'Hoe kan dat?' vraagt Juul.
'Een feest kost toch geld?
Je verdient er niets aan.'
'Aan dit feest wel,' zegt juf Lin.
'Want we houden een markt.
Een feestmarkt
waar mensen dingen kunnen kopen.
Dingen die jullie maken.
Maar dat is wel veel werk.
Dus ... we gaan nu meteen aan de slag!'

Aan de slag

De klas heeft het ontzettend druk.
Els maakt een armband.
Ze vlecht drie kleuren wol.
Zo, weer één klaar.
Ze heeft er al vier.
'Hoeveel vraag je ervoor?' vraagt juf Lin.
'Tien euro,' zegt Els.
'Per stuk?'
Els knikt.
'Dat is wel duur.
Ik denk dat één euro beter is.
Anders verkoop je niets.'
'Dan moet ik er wel veel maken,' zegt Els.
'Aan de slag dan maar,' zegt juf Lin.

Ook Bas heeft het druk.

Hij doet een tovertruuk.

Hij grijpt met zijn hand in de lucht.

En plots ...

zit er een stokje in.

Dat is knap.

Dan gooit Bas het stokje in de lucht.

En ... weg is het.

Het ligt niet op de grond.

Het is echt verdwenen.

Hoe doet Bas dat?

Het geheim van Bas

Bas pakt een stokje.
En een rol plakband.
Hij plakt het stokje
vast aan zijn vinger.

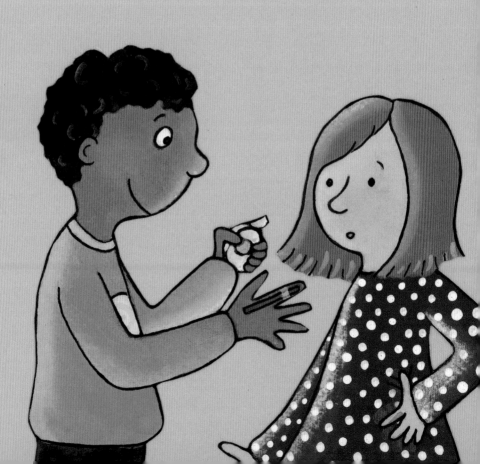

Bas houdt zijn hand omhoog.
Nu zien de mensen zijn hand.
Die is leeg.
Of ... die lijkt leeg.
Want het stokje zit vast
achter zijn vinger.
De mensen zien dat niet.

Nu grijpt Bas in de lucht.
Hij maakt een vuist.
Het lijkt of Bas
het stokje uit de lucht plukt.

Bas oefent goed.
Anders zien de mensen de truuk.
Dan geven ze geen geld.
Juf Lin komt kijken.
'Is het zo goed?' vraagt Bas.
'Ik zal het filmen,' zegt juf Lin.
'Dan kun je het zelf bekijken.'
Even later kijkt Bas naar het scherm.
'Je ziet plakband,' zegt hij.
'Dat mag niet.'
'Oefen dan nog maar even,' zegt de juf.
En hup ... daar gaat Bas weer.

De hond van Juul

'Mag mijn hond ook komen?' vraagt Juul.
'Als je moeder het goed vindt,' zegt juf Lin.
'Ik zal het vragen,' zegt Juul.

Die middag komt Juul op school.
Ze kijkt verdrietig.
'Het mag niet,' zegt ze.
'De hond is nog te klein.
En de feestmarkt is te druk.'
Juf Lin denkt even na.
'Ik weet iets,' zegt ze dan.
'Heeft je hond al een naam?'
'Nee.'
'Dan hangen we een foto op van je hond.
Verzin een naam schrijven we erbij.
Jij kiest de beste naam.
Zo gaat je hond heten.'
'Wat een leuk plan,' roept Juul.

Juul maakt een bord.

Verzin een naam voor
mijn hond.
De beste naam wint.
De prijs: een armband
van Els.

Koekjes bakken

Mark bakt koekjes.
Die kunnen de mensen kopen.
Hij doet er een briefje in met een wens.
Alles staat al klaar.

Mark klopt het ei.
Suiker en boter erbij.
Nu goed roeren.
Het moet een glad papje worden.
Dan de bloem erbij.
Ook weer goed roeren.
Nu moet Mark wachten.
Want het deeg moet rusten.
Gek, dat deeg moet rusten.
Was het moe dan?

Nu kan Mark de briefjes maken.
Het moeten lieve briefjes zijn.
Want het zijn gelukskoekjes.
Een koekje met **Je bent stom**
wil geen mens.

Je bent lief.

Ik ben op jou.

Je bent stoer.

Mark maakt hoopjes deeg.
Die moeten de oven in.
Dat doet de juf.
Want de oven is warm.
Ze haalt de koekjes er ook weer uit.
Mark doet de briefjes in de koekjes.
Dat moet heel snel.
Anders gaan de koekjes stuk.
Klaar!
Mark is blij.
Een bak vol koekjes.
Een bak vol geluk!

Drie keer feest

Dan is het zo ver.
Het is maandag.
Het is vandaag drie keer feest!
De klas zingt.
Er hangen slingers.
En op het bord staat **Hoera!**
Er zijn drie feestmutsen.
Een voor juf Lin.
Een voor Bas.
En een voor Juul.

Bas krijgt een kaart.
Hij deelt iets lekkers uit.
En juf Lin krijgt een pakje.
Het is een mok.
Op de mok staat **lieve juf**.
In de mok zitten dropjes.
'Dank je wel,' zegt ze blij.
Juul vertelt over haar hond.
En dan doen ze nog een spel.
De hele klas is blij.

'Juf,' zegt Bas.

'Wat doen we eigenlijk met het geld?

Het geld van de feestmarkt?'

'Goede vraag,' zegt juf Lin.

'Wie heeft er een plan?'

'IJsjes kopen,' zegt Juul.

'Lekker!' zegt de juf.

'Maar van zo veel ijs krijg je buikpijn.'

'Ik weet iets,' zegt Bas.

'We geven het aan een goed doel.'

'Nee,' zegt Tom.

'Het is toch ons feest.

Dus ook ons geld.'

'Bij een feest hoort ook iets geven,' zegt Bas.

'Ik weet een goed doel,' zegt Els.

'Ik ken een vrouw.

Zij redt katten zonder baasje.

Ze mogen bij haar in huis wonen.

Anders gaan die katten dood.'

'Wat erg!' roept Juul.

'Is dit een goed doel?' vraagt juf Lin.

'Ja!' klinkt het hard.

'Dan krijgen de katten het geld.'
Juf Lin tekent een poes op het bord.

Dan kijkt juf Lin op de klok.
'We moeten opschieten,' zegt ze.
'De feestmarkt begint.'

De feestmarkt

De feestmarkt is op de speelplaats.
Alles ziet er mooi versierd uit.
Met vlaggen en slingers.
Het is al druk.
Bas ziet een paar ouders.
Kijk, zijn vader is er ook.
En zijn moeder.
Opa en oma komen straks.

Bas doet zijn truuk.
Het lukt goed.
Hup, hij plukt het stokje uit de lucht.
De mensen snappen het niet.
Hoe doet Bas dat toch?
Ze vinden het knap.
Ze doen geld in zijn bakje.

De armbandjes doen het ook goed.
Els is blij.
Ze heeft er al drie verkocht.
Dat is drie euro voor de katten.
Ze zou er zelf ook wel één willen.
Maar ja, haar zakgeld is op.
En de katten gaan voor.

Juf Lin verkoopt koffie en sap.
Ze heeft het druk.
'Je moet ook naar Mark,' zegt ze.
'Die heeft koekjes bij de koffie.
Gelukskoekjes.'

De gelukskoekjes van Mark zijn al bijna op.
Toms zus koopt er nog gauw één.
Ze leest het briefje.

Ik ben op jou.

Ze glimlacht.
'Ik vind jou ook leuk,' zegt ze.
Mark wordt vuurrood.
Had hij toch een briefje met
Jij bent stom moeten maken?

27

Lang zullen ze leven!

Juul staat naast een foto van haar hond.
Haar oma leest het bord.

Verzin een naam voor mijn hond.
De beste naam wint.
De prijs: een armband van Els.

'Muil,' zegt oma.

'Noem je hond maar Muil.'

'Dat kost een euro, oma,' zegt Juul.

'Anders mag u niet meedoen.'

'Een euro?' zegt oma.

Ze klinkt een beetje boos.

'Dan verzin je zelf maar een naam.'

'Het is voor het goede doel,' zegt Juul.

'Nu begrijp ik het,' zegt oma.

'Ik doe twee keer mee.'

Ze geeft Juul twee euro.

En ze doet twee briefjes in de pot.

Op elk briefje schrijft ze: **Muil**.

Juul lacht.

Die oma.

Begrijpt ze het wel echt?

Daar komt de vader van Els.
Hij geeft Juul een euro.
En doet een briefje in de pot.
En daar is de broer van Els.
En haar moeder.
Zij doen ook mee.
Nu zitten er al vijf briefjes in.
Vijf briefjes, met vier namen.
De juf van groep twee maakt muziek.
Ze speelt 'Lang zullen ze leven'.
Voor juf Lin.
En voor Bas.
Wat een geweldig feest!

Verzin een naam voor
mijn hond.
De beste naam wint.
De prijs: een armband

Een naam voor de hond van Juul

Het is de dag na het feest.
Alles is weer schoon en opgeruimd.
Nu alleen nog een naam
voor de hond van Juul.
Juul leest de briefjes voor.
En juf Lin schrijft de namen op het bord.

Mik
Bruut
Dotje
Tijger
Muil

'Welke naam kies je, Juul?' vraagt de juf.

Juul denkt even heel diep na.

Ze denkt aan haar hond.

Met de blonde haren.

En de lieve ogen.

Het is echt een ...

'Dotje,' zegt ze opeens.

'Het wordt Dotje.'

'Dan wint de vader van Els,' zegt de juf.

'Hij heeft de naam verzonnen.

Dus hij krijgt de armband.'

Els kijkt blij.

Papa geeft de prijs vast en zeker aan haar.

Nu heeft ze toch een armband.

Zelf gemaakt nog wel.

'Hoera voor Dotje,' zegt juf Lin.

De hele klas klapt keihard.

Het is maar goed dat Dotje er niet is.

Ze zou ervan schrikken.

'En nu het geld,' zegt juf Lin.
'Ik heb het geteld.
We hebben samen 145 euro verdiend.
Zullen we het meteen maar gaan brengen?'
Dat doen ze.
De hele klas loopt in een rij.
Juf Lin loopt voorop, met het geld.
Wat zullen de katten blij zijn!

Zoek, zoek, zoek!

Waar zie je de oma van Juul?
Hoe heet de hond van Juul?
Wie zijn jarig?
Wie wint de armband?

Lees deze boeken ook:

AVI Start

ik lees!

bas en tom zijn op juul

Jolanda Horsten en Daniëlle Schothorst

AVI M3

ik lees!

een aap in de klas

Jolanda Horsten en Daniëlle Schothorst

ik lees!

De hamster van Bas

Jolanda Horsten en Daniëlle Schothorst

AVI E3

1e druk 2012

NUR 287
ISBN 978.90.487.1014.0

© **Uitgeverij Zwijsen B.V., Tilburg, 2012**
Tekst **Jolanda Horsten**
Illustraties **Daniëlle Schothorst**
Pictogram school **Tineke Meirink**
Vormgeving **Masja Mols**

Voor België:
Uitgeverij Zwijsen.be, Antwerpen
D/2012/1919/53